westermann

Karibu 3

Das kann ich

Lesebuch

Name

Klasse

STOPP

Lies einen Text von „Er war´s“ auf Seite 16-18.
Diesen Text habe ich mir ausgesucht: ◯ ◯ ◯

1 Was wollen die Kinder bauen?

☐ einen Schrank ☐ eine Falle ☐ ein Handy

2 Mit welchem Handy ist das Alarmsystem verbunden? Male an.

3 Was machen die Kinder mit dem Volleyballnetz?

☐ Sie legen es in den Schrank und lassen die Tür einen Spalt offen.

☐ Sie nehmen es mit auf den Pausenhof und spielen gemeinsam Volleyball.

☐ Sie legen es auf den Schrank, damit es herunterfallen kann.

4 Welcher Satz passt zur Geschichte?

☐ Das Alarmsystem piept, weil es in der Schule brennt.

☐ Der Schulhund hat sich im Netz verfangen und zappelt.

☐ Die Polizei kommt und verhaftet Konrad.

5 Warum „verhaftet“ Torben am Ende den Hund? Begründe.

Lies einen Text von „Der fliegende Schatten“
auf Seite 30/31.
Diesen Text habe ich mir ausgesucht:

1 Welche Tiere kommen im Text vor? Markiere.

Einhorn	Eidechse	Eisvogel	Lippenbär
Laubfrosch	Libelle	Lerche	Eichhörnchen

2 Wo spielt die Geschichte? Male an.

Im Zoo und auf einer Wiese.

Bei Juna zu Hause und im Wald.

In der Schule und an einem Bach.

3 Warum seufzt Juna?

- [ ] Juna freut sich über die Ferien, weil sie es in der Schule langweilig findet.
- [ ] Juna denkt darüber nach, wie viele Tage noch Ferien sind und langweilt sich.
- [ ] Juna denkt darüber nach, wie viele Eichhörnchen sie in den Ferien retten muss.

4 Welcher Satz passt zur Geschichte?

☐ Ein Eichhörnchen fängt eine Libelle im Flug und rettet sie.

☐ Ein Mädchen rettet ein Eichhörnchen vor dem Ertrinken.

☐ Eine Libelle hilft einem Mädchen, ein Eichhörnchen zu retten.

5 Wie fühlt sich Juna am Ende der Geschichte? Begründe.

Lies einen Text von „Überraschung“ auf Seite 44/45.
Diesen Text habe ich mir ausgesucht: ○ ◐ ●

1 Wie heißt der Junge und wie seine Oma?

- ☐ Sie heißen Jarro und Oma Irene.
- ☐ Sie heißen Jelko und Oma Irene.
- ☐ Sie heißen Jelko und Oma Irma.

2 Was findet der Junge gruselig? Male an.

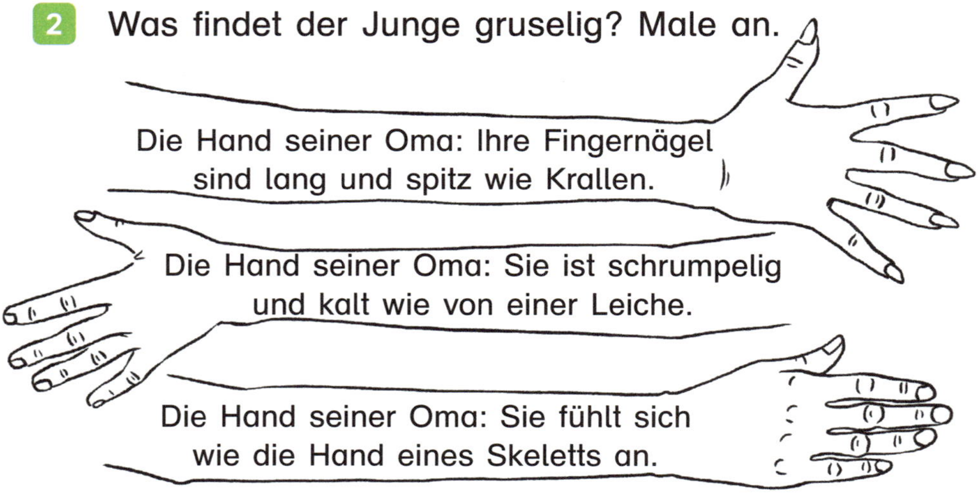

3 Warum stottert der Junge?

- ☐ Er hat einen Sprachfehler.
- ☐ Er hat sich verschluckt.
- ☐ Er ist vom Besuch seiner Oma überrascht.

4 Welcher Satz passt zur Geschichte?

☐ Unerwartet kommt Jelkos Oma zu Besuch.
Er mag sie nicht so gerne,
weil sie sehr streng ist.

☐ Jelkos Oma möchte ihn besuchen,
sie ist aber zu früh da.
Jelko hat noch nicht aufgeräumt.

☐ Jelkos Oma kommt zu Besuch.
Sie hat eine Überraschung
für Jelko mitgebracht.

5 Woran merkt man, dass Jelkos Oma nicht nett ist?
Begründe.

Kapitel 4

Lies einen Text von „Wann gehen die wieder“
auf Seite 60-63.
Diesen Text habe ich mir ausgesucht: ○ ◐ ●

1 Wohin gehen die Räuberkinder nach der Arbeit?

- ☐ in den Wald
- ☐ zu ihrer Mutter
- ☐ zu der Prinzessin

2 Warum ist der Räuberpapa ausgezogen?

- ☐ Er wollte zu seiner Prinzessin ziehen.
- ☐ Er musste in einer anderen Stadt arbeiten.
- ☐ Er hatte viel Streit mit seiner Frau.

3 Warum sagt das Räuberkind
„Wann gehen die wieder?“

- ☐ Es ist zu wenig Platz für alle.
- ☐ Die Räuberkinder möchten gern zu der Prinzessin gehen.
- ☐ Die Räuberkinder möchten ihren Papa zurück.

4 Welcher Text passt zur Geschichte?

☐ Im Räuberwald geht es sehr gefährlich zu.

☐ Die Räuberkinder müssen regelmäßig ihre Koffer packen, weil sie zwei Zuhause haben.

☐ Die Räuberkinder bleiben am liebsten bei Mama.

5 Warum ärgern sich die Räuberkinder über die Prinzessinnenkinder?

Lies einen Text von „Kiki, unsere Familienintelligenz“ auf Seite 78-80.
Diesen Text habe ich mir ausgesucht: ◯ ◯ ◯

1 Wobei darf Kiki nicht helfen?

- ☐ bei der Hausarbeit
- ☐ bei den Hausaufgaben
- ☐ beim Hausbau

2 Was wollten Karlos und Max zusammen machen? Male an.

3 Warum gibt die Lehrerin Max ein neues Blatt?

- ☐ Kiki hat die Hausaufgaben falsch gemacht.
- ☐ Kiki soll die Hausaufgaben noch einmal machen.
- ☐ Kiki hat die Hausaufgaben aufgesaugt.

4 Welcher Satz passt zur Geschichte?

☐ Kiki ist eine Familienintelligenz, weil sie der Familie mit künstlicher Intelligenz hilft.

☐ Kiki ist eine Familienintelligenz, weil die Familie ohne Kiki nicht intelligent ist.

☐ Kiki ist eine Familienintelligenz, die Karlos und Max bei den Hausaufgaben hilft.

5 Warum glaubt Max, dass Kiki nicht weiß, wie schön es sich anfühlt, miteinander Himbeeren zu essen? Vermute.

Lies einen Text von „Bjarne bedeutet Fresssack“ auf Seite 96-98.
Diesen Text habe ich mir ausgesucht: ◯ ◯ ◯

1 Woher kommt der Name „Bjarne“?

- [ ] aus Norddeutschland
- [ ] aus Dänemark und Norwegen
- [ ] aus Litauen und Lettland

2 Was bedeuten die Namen Bjarne, Erik und Suri? Markiere farbig.

Göttin	Bjarne	Bär
Taschendieb	Erik	Sonnenaufgang
rote Rose	Suri	Alleinherrscher
Sonnenuntergang		Fresssack

3 Bjarne ist mit der Bedeutung seines Namens zufrieden, weil …

- [ ] die Wörter Bjarne und Bär ähnlich klingen.
- [ ] Bären große und starke Tiere sind.
- [ ] Bären gut auf Bäume klettern können.

4 Welcher Satz passt zur Geschichte?

☐ Eine Familie überlegt sich Namen für ein neues Geschwisterchen.

☐ Drei Kinder unterhalten sich über die Bedeutungen von Namen aus fremden Ländern.

☐ Eine Familie unterhält sich über die Bedeutung ihrer eigenen Namen.

5 Warum kann ein Name mehrere Bedeutungen haben? Erkläre.

Lies einen Text von „Froschkönig“ auf Seite 114-117.
Diesen Text habe ich mir ausgesucht:

1 Was wünscht sich der Frosch für seine Hilfe?

- [ ] Die Prinzessin soll ihm Gold und Silber schenken.
- [ ] Die Prinzessin soll versprechen, ihn lieb zu haben.
- [ ] Er möchte einen Tag lang König sein.

2

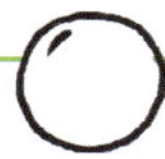	richtig	falsch
Die Kugel ist das Spielzeug der Prinzessin.		
Die Kugel ist in den Brunnen gefallen.		
Die Prinzessin kann die Kugel nicht wieder hochholen.		

3 Warum verspricht die Prinzessin den Wunsch des Frosches zu erfüllen?

- [ ] Die Prinzessin mag Frösche.
- [ ] Der Frosch tut ihr leid.
- [ ] Die Prinzessin möchte ihre Kugel zurück.

4 Welcher Satz passt zur Geschichte?

- ☐ Die Prinzessin muss sich um den Frosch kümmern, weil er ihr geholfen hat. So hat sie es versprochen.

- ☐ Der König fordert seine Tochter auf, dem Frosch die Kugel zurückzugeben, weil man nicht stehlen darf.

- ☐ Die Prinzessin soll dem Frosch für seine Hilfe das Gold geben, das sie ihm versprochen hat.

5 Warum heißt das Märchen „Froschkönig“?

Lies einen Text von „Das besondere Auge“
auf Seite 132-135.
Diesen Text habe ich mir ausgesucht: ○ ◐ ●

1 Wer bittet darum Augen zu bekommen?

- ☐ die Kinder der Regenwürmer
- ☐ die Amselkinder
- ☐ die erwachsenen Regenwürmer

2 Wer macht was? Male Paare an.

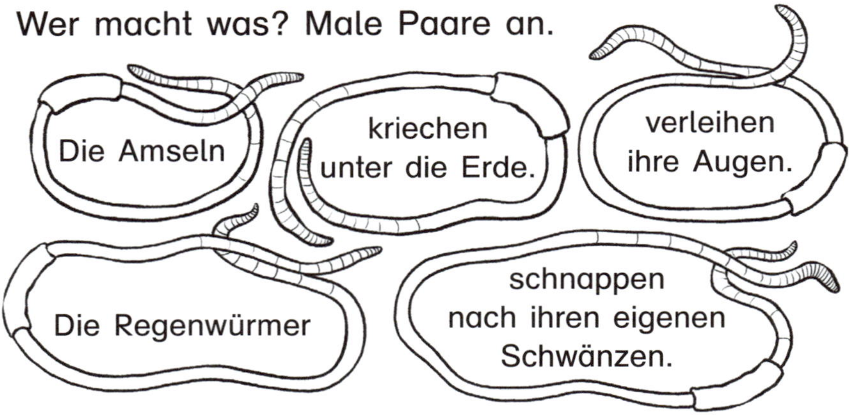

3 Die Regenwürmer wollen die geliehenen Augen der Amseln nicht,

- ☐ weil sie dann ihre eigenen Schwänze schnappen.
- ☐ weil sie seltsam aussehen.
- ☐ weil sie damit nur schwarz-weiß sehen.

4 Welcher Satz passt zur Geschichte?

☐ Mit dem inneren Auge kann man sehen, was man möchte.

☐ Das innere Auge sieht nur schwarz-weiße Bilder.

☐ Das innere Auge ist blind.

5 Warum waren die Regenwurmkinder mit ihrem inneren Auge zufriedener als mit den Amselaugen?

Lies einen Text von „Grimm und Möhrchen machen ein Kartoffelfeuer“ auf Seite 142-144.
Diesen Text habe ich mir ausgesucht: ○ ◐ ●

1 Womit gräbt Grimm die Kartoffeln aus?

☐ mit dem Spaten.

☐ mit einer Gabel.

☐ mit seinen Händen.

2 Wie heißt Grimms Freund? Male an.

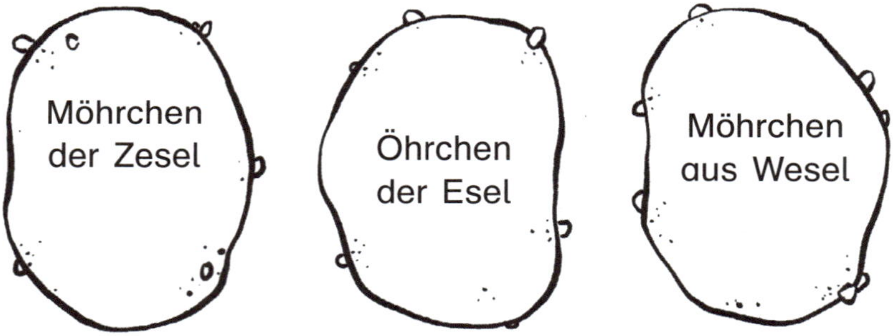

3 Was ist eine Feuerkartoffel?

☐ Eine Feuerkartoffel ist eine Bratkartoffel.

☐ Eine Feuerkartoffel ist eine Kartoffel direkt aus der Glut.

☐ Eine Feuerkartoffel ist eine besonders scharfe Kartoffel.

4 Welcher Satz passt zur Geschichte?

- ☐ Es geht in der Geschichte um einen Kartoffelzauber im Herbst.
- ☐ Es geht in der Geschichte um ein Lagerfeuer im Frühling.
- ☐ Es geht in der Geschichte um die Möhrenernte im Herbst.

5 Was ist mit „der großen Familie" einer Kartoffel gemeint? Erkläre!

Lies eines von den Gedichten auf Seite 150/151.
Diesen Text habe ich mir ausgesucht: ◯ ◯ ◯

1 Welche Merkmale passen zu deinem Gedicht?

- ☐ Das Gedicht hat mehrere Strophen.
- ☐ Es hat die Form eines Weihnachtsbaumes.
- ☐ In dem Gedicht wiederholen sich Verse.

2 Welche Weihnachtswörter kommen in deinem Gedicht vor? Male an.

Adventstürchen

Lichterschmuck

Orangenschalen

Winterwinde

Futterkrippe

Tannenduft

3 Welche Inhalte kommen in welchem Gedicht vor?

- ☐ weihnachtliche Düfte
- ☐ das Kind in der Futterkrippe
- ☐ Heimlichkeiten in der Adventszeit
- ☐ was vor langer Zeit unterm Stern geschah

4 Welcher Satz passt zur Geschichte?

☐ Es wird tierisch festlich gefeiert.

☐ Kleine Wesen schaffen große Vorfreude.

☐ Kleine Dinge machen große Freude.

5 Warum passt dein Gedicht gut zur Weihnachtszeit? Erkläre.

Lies einen Text von „Frau Honig“ Seite 169-171.
Diesen Text habe ich mir ausgesucht: ◯ ◯ ◯

1 Was hat Frau Honig auf ihrem Kopf?

- ☐ eine duftende Blume mit einer Biene
- ☐ einen Hut mit einer Plastikblume
- ☐ einen Hut mit einer Hummel

2 Was möchte Frau Honig bei den Sommerfelds tun?
Male an.

3 Warum wundert sich Herr Sommerfeld?

- ☐ Er hat mit einem Mann gerechnet.
- ☐ Er hat niemanden um Hilfe gebeten.
- ☐ Er hat Frau Honig erst später erwartet.

4 Welcher Satz passt zur Geschichte?

☐ Julius Sommerfeld hat Honig bestellt und kann sich nicht mehr daran erinnern.

☐ Im Haus hört man Frau Sommerfeld laut mit den Kindern schimpfen.

☐ Frau Honig möchte die Familie Sommerfeld unterstützen.

5 Woran erkennt man, dass Herrn Sommerfeld alles über den Kopf wächst?

Das kann ich

Ich kann ... bearbeitet am:	S. 2/3	S. 4/5	S. 6/7	S. 8/9	S. 10/11
... konkrete Fragen zu einem Text beantworten (Aufgabe 1+2, einem Text Einzelinformationen entnehmen)					
... überlegen, was im Text passiert (Aufgabe 3, einfache Zusammenhänge herstellen, lokale Kohärenz)					
... den ganzen Text verstehen (Aufgabe 4, Schlussfolgerungen ziehen ein Gesamtverständnis konstruieren, globale Kohärenz)					
... eigene Gedanken zu einem Text machen (Aufgabe 5, zu einem Text Stellung nehmen)					

Ich kann ... bearbeitet am:	S. 12/13	S. 14/15	S. 16/17	S. 18/19	S. 20/21	S. 22/23
... konkrete Fragen zu einem Text beantworten (Aufg. 1, einem Text Einzel-informationen entnehmen)						
... Textinformationen verknüpfen (Aufg. 2, Zusammenhänge herstellen, lokale Kohärenz)						
... überlegen, was im Text passiert (Aufg. 3, Zusammenhänge herstellen, lokale Kohärenz)						
... den ganzen Text verstehen (Aufg. 4, Schlussfolgerungen ziehen, globale Kohärenz)						
... eigene Gedanken zu einem Text formulieren (Aufg. 5, zu Texten Stellung nehmen)						

Karibu

Diagnoseheft Lesen 3

Erarbeitet von

Susanne Goralsky, Maria Hoyme, Gerburg Kirsch,
Corinna Roggenkamp, Vera Scheithauer

Illustriert von

Friederike Ablang, Svenja Doering

Druck A[1] / Jahr 2024
Alle Drucke der Serie A sind im Unterricht parallel verwendbar.

Redaktion: Silke Lohmeyer
Umschlaggestaltung: Annette Forsch unter Verwendung eines Schriftzuges von Godewind und einer Illustration von Svenja Doering
Layout: Godewind
Druck und Bindung: Westermann Druck GmbH, Georg-Westermann-Allee 66, 38104 Braunschweig

ISBN 978-3-14-129448-4

ISBN 978-3-14-**129448**-4

9 783141 294484

www.westermann.de